Clémentine DELILE
Orthophoniste

Jean DELILE
Enseignant

Méthode de lecture syllabique

pour apprendre à lire *pas à pas*

illustrée par Anne TEUF

HATIER

Méthode  pas à pas

Une méthode traditionnelle et syllabique pour acquérir une lecture précise et sûre

Lettre de la leçon.

• pas à pas, difficulté après difficulté

Les leçons suivent un ordre progressif adapté à un premier apprentissage de la lecture : étude des lettres les plus simples et les plus fréquentes d'abord, apprentissage des syllabes, lecture de mots, puis de phrases et enfin de textes.

Syllabes avec la lettre de la leçon et écriture en cursive.

• sans deviner, sans inventer

Au fur et à mesure des pages, l'enfant reconnaît les lettres, déchiffre bien les syllabes, lit les mots et les phrases. Rien n'est à deviner, rien n'est à lire globalement. En suivant l'ordre du livre, l'enfant peut tout lire en s'appuyant sur ce qu'il a déjà appris.

Mots contenant des lettres et syllabes déjà apprises, avec en plus la lettre de la leçon. À lire colonne après colonne.

• rapidement et efficacement

À partir de la page 64, l'enfant a appris à lire. Pour améliorer sa vitesse de lecture, il s'entraîne à lire à haute voix les textes qui suivent l'étude des lettres.

Phrase écrite en cursive qui peut être recopiée.

Grâce à cette méthode, l'enfant apprend à lire pas à pas d'une façon rigoureuse. Il acquiert ainsi des bases solides en orthographe, découvre le plaisir de la lecture et peut lire ses premiers petits romans.

Infos Parents Pour chaque leçon, l'essentiel pour mieux aider votre enfant à réussir.

Conception graphique : Atelier JMH
Mise en page : Christine Godefroy
Photogravure : Italic'Communication

Plan d'une leçon

b - b ~~B~~

biche

bo	bê	bi	be	bou	ba	boi	bu
bo	bê	bi	be	bou	ba	boi	bu

un bol
une balle
une bulle
du bois

bébé
bâtir
boire
un bec

une bosse
une bête
un cube
une banane

un lavabo
une cabine
un débarras
immobile

Je suis tout ébouriffé.
Tu es allé à la boucherie.
Elle a mis sa robe verte.
Bernard a bêché la terre.

Il jette les ordures à la poubelle.
Ma boule est à côté du cochonnet.
Bébé avale une bouchée de purée.
Le chat joue avec une bobine de fil.

Il m'a offert une belle boîte de chocolats.

Il m'a offert une belle boîte de chocolats.

Révision

| roi | pa | li | bé | co | dou | tu | ne | jo | fi |

Infos parents

La lettre **b** représente un son bref, le son «b». Comme **p**, **d** et **q**, elle est formée d'un rond et d'une grande barre. Seule la position de la barre change par rapport au rond.

31

Annotations (marges) :

Mot à dire pour aider à retenir : « C'est le **b** de **biche**. »

Lettres muettes en gris.

Liaison indiquée.

Phrases à lire avec des mots pouvant tous être déchiffrés.

Syllabes déjà étudiées.

La présentation des dix premières leçons est différente et adaptée au tout début de l'apprentissage. Comme à ce stade l'enfant ne connaît pas assez de lettres pour pouvoir lire, les mots contenant la lettre de la leçon sont illustrés. Prononcer ces mots en faisant entendre et reconnaître la lettre qui est écrite sous chaque dessin.

Progression de la méthode

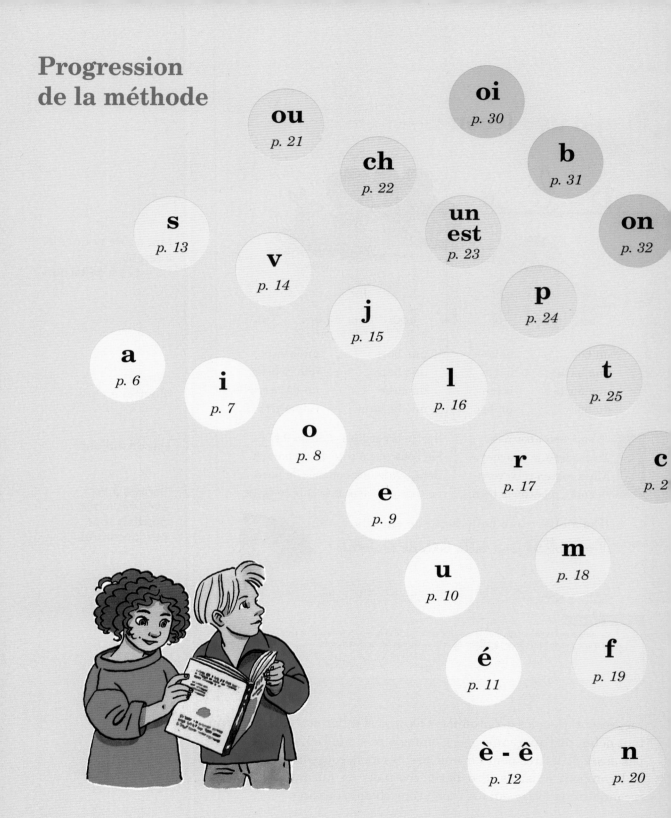

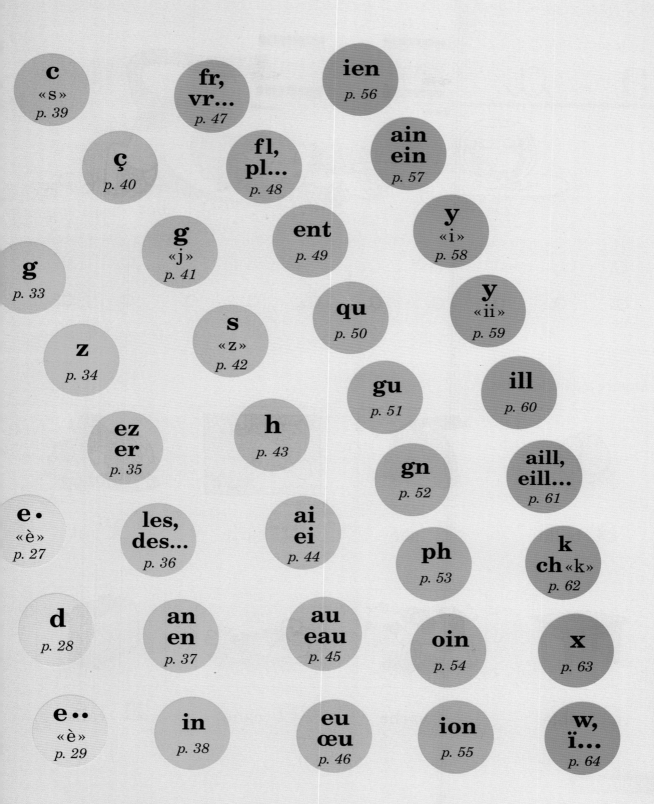

a - α   A

chat

| a | a | a | a | a | a | a | a | a | a |
| α | α | α | α | α | α | α | α | α | α |

Montre **a** dans les mots.

a balle

a sac

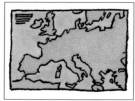
a carte

a rat

a table

a vache

a cane

a valise

Infos parents

Le **a** imprimé a deux formes (chat - chat). La seconde ressemble au α écrit à la main.
La lettre a, «mariée» à une autre lettre, ne représente plus le son «a» (Ex. : an, au, ai...).

i - i I

pie

i	i	a	i	i	i	a	i	a	i	a
i	i	a	i	i	i	a	i	a	i	a

Montre **i** dans les mots.

i lit

i livre

i radis

i souris

i nid

i niche

i pile

i fourmi

nfos parents

La lettre **i** peut être mariée à une autre lettre. Dans ce cas, elle ne représente plus le son « i »
(Ex. : oi, in, ai, ei...). Ces groupes de lettres, plus difficiles, seront appris plus tard.

7

O - ○ o

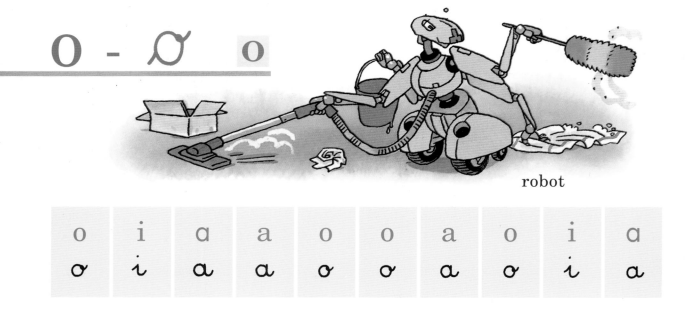

robot

o	i	a	a	o	o	a	o	i	a
o	i	a	a	o	o	a	o	i	a

Montre **o** dans les mots.

O pot O rose O vélo O piano

O coq O carotte O bol O pomme

La lettre **o** a deux prononciations (pot - coq), mais dans certaines régions, on ne fait pas cette différence. La lettre **o** peut aussi être mariée à une autre lettre : ou, on, oi…

e - ℓ E

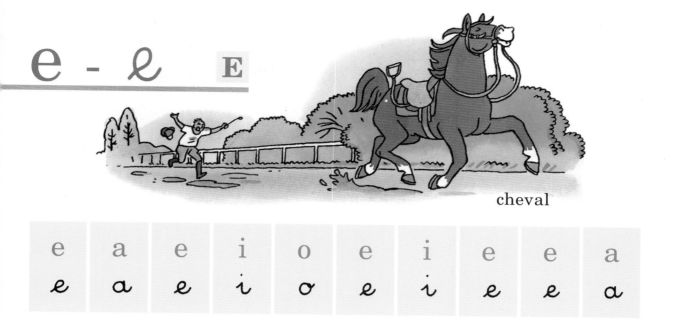

cheval

e	a	e	i	o	e	i	e	e	a
e	a	e	i	o	e	i	e	e	a

Montre **e** dans les mots.

e renard

e requin

e menu

e melon

e cerise

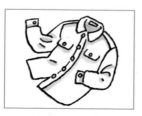

e chemise

e fenêtre

e chemin

fos parents

La lettre **e** est la lettre la plus utilisée en français. On ne la prononce pas toujours : «un ch'val, la lun'». Souvent, elle se prononce «è». Ce cas, plus difficile, sera étudié pages 27 et 29.

9

u - u u

lune

u	e	i	u	a	u	o	u	e
u	e	i	u	a	u	o	u	e

Montre **u** dans les mots.

u fusée

u ruche

u tulipe

u tortue

u cube

u plume

u mûre

u pull

Infos parents

Comme les autres voyelles, la lettre **u** peut être mariée à une autre lettre. Dans ce cas, elle ne représente plus le son «u» (Ex.: ou, au, eu, qu...).

é - é   É

étoile

é	i	u	é	a	e	é	o	a	é
é	i	u	é	a	e	é	o	a	é

Montre **é** dans les mots.

é fée

é bouée

é café

é clé

é dé

é poupée

é canapé

é blé

è, ê - è, ê

chèvre - tête

è	ê	e	a	é	u	i	è	o	ê
è	ê	e	a	é	u	i	è	o	ê

Montre **è** dans les mots.

è zèbre   **è** lièvre   **è** trèfle   **è** flèche

Montre **ê** dans les mots.

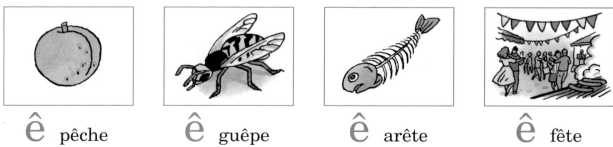

ê pêche   **ê** guêpe   **ê** arête   **ê** fête

12

S - ◊ s

souris

sa	sé	si	su	se	so	sè	sê
sa	*sé*	*si*	*su*	*se*	*so*	*sè*	*sê*

Montre **s** dans les mots.

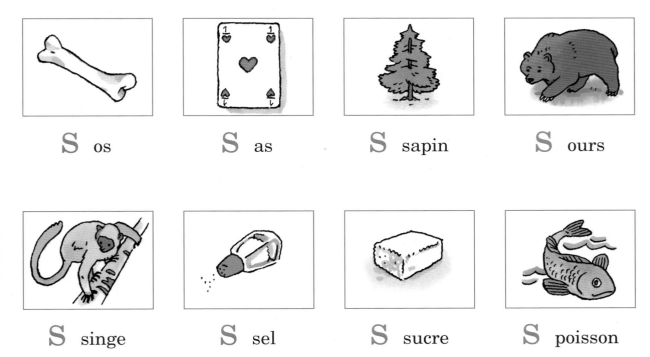

S os

S as

S sapin

S ours

S singe

S sel

S sucre

S poisson

fos parents

La consonne **s** est facile à entendre dans les mots, car on peut la prolonger : « *sssapin* ». Suivant sa position, la lettre **s** peut aussi représenter le son « z », ce qui sera vu page 42.

13

V - ひ v

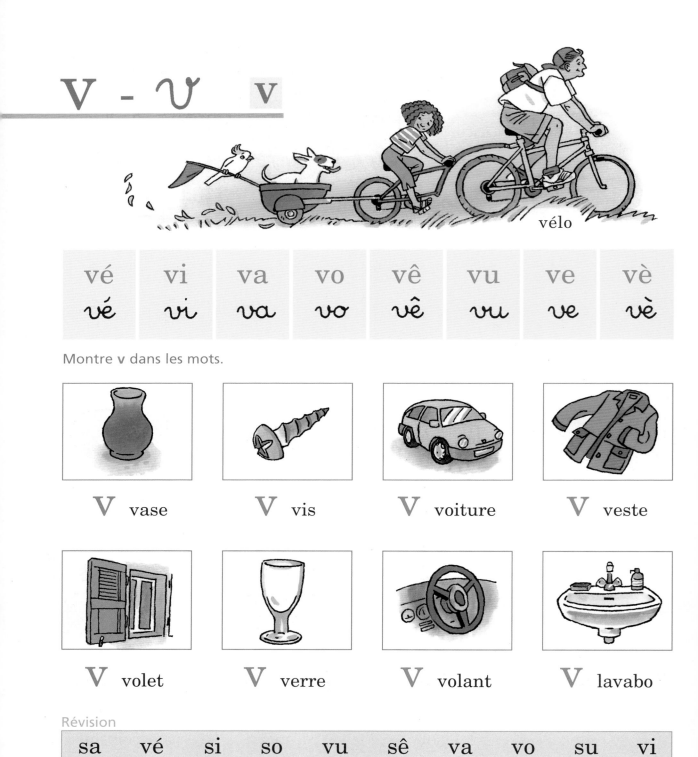

vélo

vé	vi	va	vo	vê	vu	ve	vè
vé	*vi*	*va*	*vo*	*vê*	*vu*	*ve*	*vè*

Montre **v** dans les mots.

V vase

V vis

V voiture

V veste

V volet

V verre

V volant

V lavabo

Révision

sa	vé	si	so	vu	sê	va	vo	su	vi

Infos parents

La lettre **v** représente toujours le son « v », qui est facile à entendre dans les mots puisqu'on peut le prolonger : « *vvvélo, vvvase* ».

14

j – j   **J**

jardin

ja	ju	jo	jé	ji	je	jo	ju
ja	ju	jo	jé	ji	je	jo	ju

Montre **j** dans les mots.

j jupe

j jeton

j joue

j journal

j jaune

j judo

j jumelles

j pyjama

Révision

jo	vi	su	ja	vé	ju	so	va	se	vo

1 - ℓ L

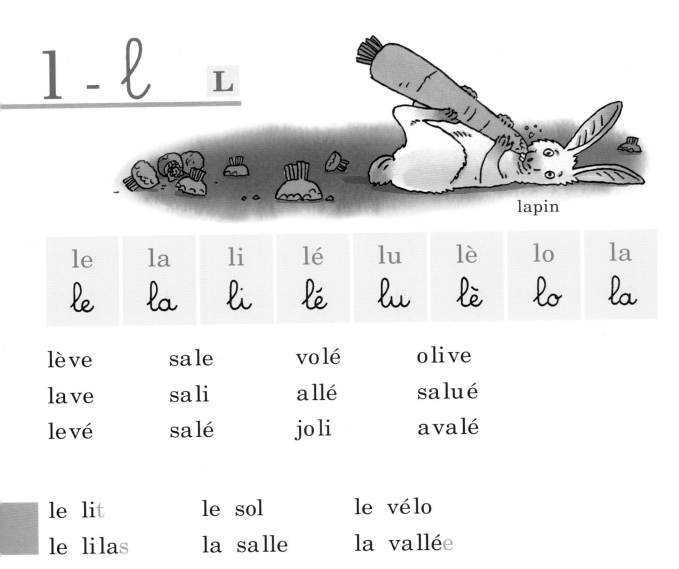

lapin

le	la	li	lé	lu	lè	lo	la
le	*la*	*li*	*lé*	*lu*	*lè*	*lo*	*la*

lève	sale	volé	olive
lave	sali	allé	salué
levé	salé	joli	avalé

le lit	le sol	le vélo
le lilas	la salle	la vallée

Il a vu, il a lu, il a su.

Il a vu, il a lu, il a su.

Révision

li	jo	su	va	la	vi	je	sé	lè	vo

Infos parents

Quand il y a deux l, la lecture ne change pas : *sale* et *salle*. Une difficulté de lecture : le l minuscule ressemble au i majuscule : *lit* et *Il* (= il).

16

r - ~r   R

renard

ra	ri	rê	ru	ré	ro	re	rè
ra	ri	rê	ru	ré	ro	re	rè

sur   salir   rire   lire
rare   je salis   je ris   je lis
ravi   il salit   il rit   il lit

la rue   le rôle   la revue
le rat   le sirop   la rivière

Il a réussi, il arrive, il rêve.
Il a réussi, il arrive, il rêve.

Révision

ju	sa	ré	ve	lu	ro	sê	vé	lo	ja

Infos parents

À la fin des mots, la lettre **r** peut être mariée avec un **e**, et représenter le son « é » : *jouer*, *léger*.
Ce groupe de lettres **er**, plus difficile, sera appris page 35.

m - m M

mouton

ma	mè	mi	me	mé	mo	mu	mê
ma	mè	mi	me	mé	mo	mu	mê

même   larme   rime   mûrir
mêlé   armée   rame   allumé

le mur   la mule   le lama
la mie   le mime   la masse
le mari   la momie   la somme
ma lime   ma mère   il a mal

Il a ramassé six mûres.

Il a ramassé six mûres.

mi	vu	ré	jo	mu	va	lê	si	ra	je

Infos parents

La lettre **m** ressemble à la lettre **n**. Bien faire compter les trois jambes du **m** dans les mots de cette page, sans parler encore du **n** qui sera appris page 20.

f - f F

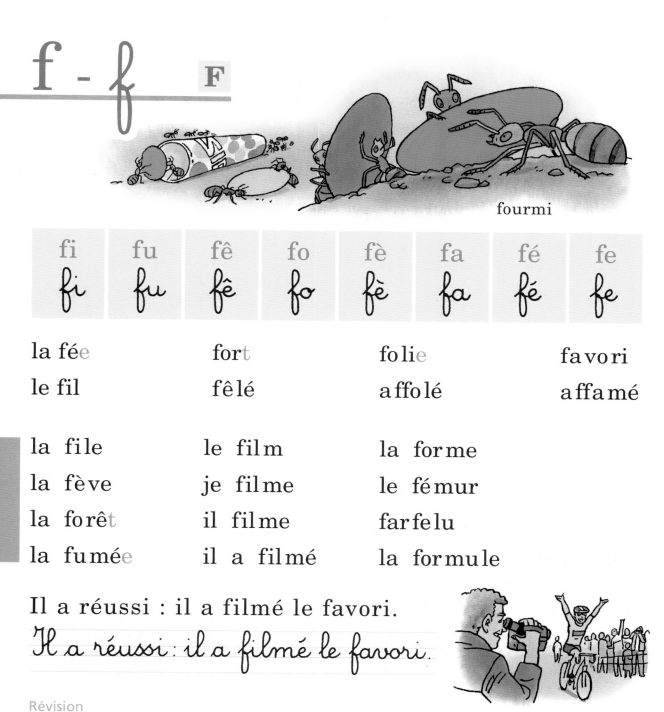

fourmi

fi	fu	fê	fo	fè	fa	fé	fe
fi	fu	fê	fo	fè	fa	fé	fe

la fée   fort   folie   favori
le fil   fêlé   affolé   affamé

la file   le film   la forme
la fève   je filme   le fémur
la forêt   il filme   farfelu
la fumée   il a filmé   la formule

Il a réussi : il a filmé le favori.

Il a réussi : il a filmé le favori.

Révision

| fo | ju | la | fê | mo | re | sè | fi | vé | ri |

Infos parents

La lettre **f** est facile à lire. Elle est parfois doublée (Ex. : *affamé*). Page 53, on verra que **ph** se lit aussi comme **f**, mais il faut d'abord apprendre ce qui est plus fréquent.

n - n   N

niche

nê	na	nè	nu	ne	ni	né	no
nê	na	nè	nu	ne	ni	né	no

le nid   la lune   le menu   normal
le nord   l'âne   le navire   revenu

la nuit   la farine   l'animal
le numéro   une mine   il a fini
le renard   une manie   il a sonné
une année   une avenue   il a ramené

Le renard va revenir la nuit.

Le renard va revenir la nuit.

Révision

na	lè	mi	ro	nu	je	sé	vê	ri	lu

Infos parents

Au début d'une syllabe, la lettre **n** représente le son «n» : *re-nard*, *ma-nie*. On peut aussi trouver **n** marié à une voyelle, sans le son «n» (voir plus loin : an, on, in).

ou - ou

loup

mou	nou	rou	sou	vou	lou	fou	jou
mou	nou	rou	sou	vou	lou	fou	jou

la joue   une souris   l'ours   le journal

le four   une moule   le jour   la journée

une roue   la mousse   la foule   une fourmi

Il se réjouit.   Il a soulevé le lit.

Il a lavé la roue.   Il a souri à sa mère.

Il a noué le foulard.   Il a voulu lire le journal.

La souris joue sous le lit.

La souris joue sous le lit.

Révision

fou	su	vo	ja	mou	ru	mo	rou	né	vou

Infos parents

Avec **ou**, les deux lettres **o** et **u** sont mariées et ne représentent plus le son « o », ni le son « u ».
Le groupe de deux lettres **ou** représente un seul son : « ou ».

ch - ch

chameau

cha	che	cho	chou	ché	chi	chu	chè
cha	che	cho	chou	ché	chi	chu	chè

le chat   le fichu   une ruche   une mouche

le chou   le marché   une vache   une louche

le cheval   la cheminée   une fiche   une souche

Il a lu l'affiche.   Il a une mèche rousse.

Il a lâché le vélo.   Lili a une jolie chevelure.

Michèle se mouche.   Il a mis la louche sur la machine.

Le chat a chassé la souris.

Le chat a chassé la souris.

Révision

fa	me	so	chu	mou	vé	ri	cha	lê	jo

Infos parents

Avec **ch**, les deux lettres **c** et **h** sont mariées et représentent le son « ch ». On verra page 62 que, dans certains prénoms et dans certains mots savants, **ch** peut se prononcer « k ».

un, est - un, est

un chat : il est joli

une souris	une louve	une vache	une élève
un rat	un loup	un cheval	un élève
un mur	un mâle	un animal	un ami

Il a un chat.   Il est joli.   Il est là.

Il a un ours.   Il est sale.   Il est lavé.

Il a un vélo.   Il est arrivé.   Il est revenu.

Marie a vu un rat : il est sur le mur.

Jules est sur le cheval : il a mis un foulard.

Anne a un chat : il est sous le lit.

Anne a un chat : il est sous le lit.

Révision

un	le	une	la	est	ma	sa	il a	il est

Infos parents

Après avoir appris à lire **une**, il est important de savoir lire **un** et **est** (forme conjuguée la plus fréquente du verbe *être*). Le trait gris arrondi indique qu'il faut faire la liaison.

p - p   P

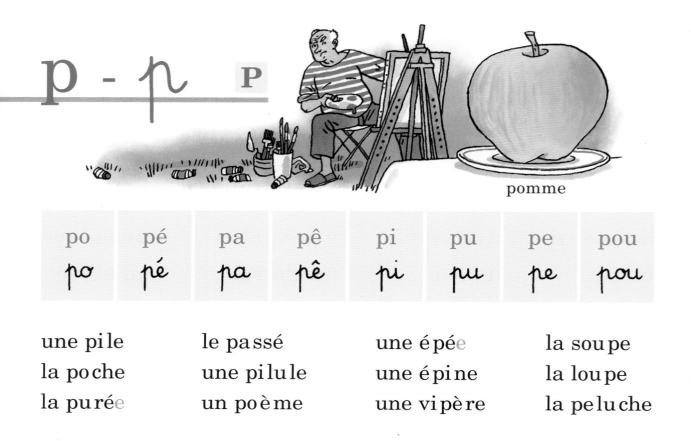

pomme

po	pé	pa	pê	pi	pu	pe	pou
po	pé	pa	pê	pi	pu	pe	pou

une pile   le passé   une épée   la soupe
la poche   une pilule   une épine   la loupe
la purée   un poème   une vipère   la peluche

Le léopard ne chasse pas le jour.

Le vélo est réparé : il est à Jérémie.

Une jolie péniche est passée sur la rivière.

Papa part pour le Pérou. Il a un passeport.

Mamie pèle une pêche pour Valérie.

Mamie pèle une pêche pour Valérie.

Révision

ro	fi	mê	pé	sa	chu	ni	jou	vu	lè

Infos parents

La lettre **p** n'est pas facile : elle représente un son bref, difficile à distinguer des autres. Sa forme est aussi celle de **b**, **d** et **q** : seule change la position de la barre par rapport au rond.

t - t T

tortue

ti	tê	ta	tou	té	tu	te	to
ti	tê	ta	tou	té	tu	te	to

une tasse   un tissu   une tarte   la fête
une tulipe   un rôti   un pétale   un pilote
une toupie   la vérité   un matelas   la poste
une tomate   une tartine   une tirelire   un pétard

Il va à la pâtisserie.   Il porte toujours une écharpe.
Tu as mal à la tête ?   Louis a acheté un tournevis.
Il a tapé à la porte.   Émilie a toussé toute la nuit.
Le petit âne est têtu.   Il a attaché le cheval à un chêne.

Le pirate a jeté l'or sur la nappe.

Le pirate a jeté l'or sur la nappe.

Révision

pa	ti	su	che	mou	vo	ra	lu	ni	fé

C - C C

canard

ca	co	cu	cou	cui	ca	cou	cun
ca	co	cu	cou	cui	ca	cou	cun

caché   la coupe   une carte   une colline
courir   la colère   le calcul   une culotte
le café   un carré   la capitale   une colonne
un sac   la course   la casserole   une couronne

Je me suis couché tôt.   Où est passée la carafe ?
Tu écoutes ta mère.   Caroline est allée à l'école.
Il porte une capuche.   Victor a pêché une énorme carpe.
Le colis a été posté.   Le caniche a jappé toute la journée.

Il a une caméra : il filme l'école.

Il a une caméra : il filme l'école.

Révision

chu	co	ti	fa	pi	me	rou	ca	ju	né

Infos parents

La lettre **c** peut représenter deux sons : « k » (*canard*, *courir*) ou « s » (*ceci*). Il est nécessaire de séparer l'apprentissage des deux valeurs de **c** et de commencer par **c** = « k », le plus simple.

e • «è»

merle

«e» →	re	te	ve	se	pe	ne	me
«è» →	rep	tel	ves	sec	per	nec	mer

avec   versé   un jouet   manuel

la lecture avertir   un cachet   naturel

le fer   une perle un carnet   maternel

la mer   une alerte un navet   un caramel

Le vernis est sec.   La pomme est verte.

Je cherche ma veste.   Le chef nous a servi le café.

Tu es allé à la ferme ? Un merle est perché sur le mur.

Il a terminé sa lecture. Il a vu un reptile sous le cactus.

Le cheval est à l'écurie avec le mulet.

Le cheval est à l'écurie avec le mulet.

Révision

se	sel	ve	ver	me	mel	fe	fer	te	ter

nfos parents

Quand il est à l'intérieur d'une syllabe, **e** se lit «è», sans avoir besoin d'accent grave : *mer-le, res-te*.
La 2e personne du singulier du verbe *être* au présent s'écrit **es** et se lit «è» : *tu es.*

d - d D

dauphin

di	du	dou	da	dé	do	de	dè
di	du	dou	da	dé	do	de	dè

déjà	rapide	une pédale	la date
depuis	fidèle	un cadenas	un radis
dessus	perdu	un domino	une maladie
dessous	timide	la cascade	une pommade

Je me dépêche.	Tu as du chocolat sur la joue.
Démarre vite !	Nadine m'a donné de la limonade.
Tu es devenu fou !	David est malade depuis dix jours.
Il m'a dit de revenir.	Le départ sera donné mardi à midi.

Daniel assistera à un défilé de mode.

Daniel assistera à un défilé de mode.

Révision

sè	ni	lou	du	ra	pé	ta	co	di	chu

Infos parents

La lettre **d** représente un seul son, le son « d », mais il arrive qu'elle soit muette (Ex. : *grand*, *regard*).
Dans le mot *pied*, elle est mariée à **e** pour qu'on lise le son « é ».

e ・・ «è»

lunettes

ell	ess	ett	err	enn	eff	edd
ell	*ess*	*ett*	*err*	*enn*	*eff*	*edd*

une pelle	un effort	un verre	une cuvette
la chapelle	la messe	la terrasse	une couchette
une échelle	la paresse	un renne	une devinette
une femelle	une caresse	le tennis	une omelette

Elle m'a appelé.	Elle a écouté une cassette.
Elle m'appelle.	Il a tiré la sonnette d'alarme.
Elle a jeté de la terre.	Où est la cachette de Juliette ?
Elle jette une pierre.	La serrure de la porte est fermée.

Elle m'a donné une assiette, puis un verre.

Elle m'a donné une assiette, puis un verre.

Révision

pe	vel	rell	fe	ferr	re	res	ne	net	tenn

Infos parents

Avant une consonne double, la lettre **e** se lit en général «è», sans avoir besoin d'accent grave
(Ex. : *ter-rasse, ten-nis*).

oi - oi

poisson

toi	noi	foi	coi	poi	choi	soi	voi
toi	noi	foi	coi	poi	choi	soi	voi

le roi

la soirée

une poire

une voiture

la joie

un tiroir

une voile

une armoire

un mois

le couloir

la toile

la toilette

une fois

un devoir

la toiture

un mouchoir

L'animal a soif.

Il a mis une couronne de roi.

Je vois une étoile.

Le soir, le chat court sur le toit.

Il a mal à un doigt.

Il a cassé une noix avec une pierre.

Où as-tu caché le miroir ?

Le jouet est à moi, il n'est pas à toi.

Il met le matelas sur le toit de sa voiture.

Il met le matelas sur le toit de sa voiture.

Révision

sa	joi	lu	moi	rou	ta	fi	po	doi	cui

Infos parents

Avec **oi**, les deux lettres **o** et **i** sont mariées et ne représentent plus le son « o », ni le son « i ».
Le groupe de deux lettres **oi** représente toujours le même son : « oi ».

b - b   B

biche

bo	bê	bi	be	bou	ba	boi	bu
bo	bê	bi	be	bou	ba	boi	bu

un bol
une balle
une bulle
du bois

bébé
bâtir
boire
un bec

une bosse
une bête
un cube
une banane

un lavabo
une cabine
un débarras
immobile

Je suis tout ébouriffé.
Tu es allé à la boucherie.
Elle a mis sa robe verte.
Bernard a bêché la terre.

Il jette les ordures à la poubelle.
Ma boule est à côté du cochonnet.
Bébé avale une bouchée de purée.
Le chat joue avec une bobine de fil.

Il m'a offert une belle boîte de chocolats.

Il m'a offert une belle boîte de chocolats.

Révision

roi	pa	li	bé	co	dou	tu	ne	jo	fi

nfos parents

La lettre **b** représente un son bref, le son « b ». Comme **p**, **d** et **q**, elle est formée d'un rond et d'une grande barre. Seule la position de la barre change par rapport au rond.

31

on - on

ballon

bon	pon	ron	son	mon	ton	fon	don
bon	pon	ron	son	mon	ton	fon	don

bon	bonjour	un mouton	le talon
rond	bonsoir	un bouchon	un melon
long	le monde	un torchon	la confiture
marron	du savon	une boisson	une réponse

Ils font la ronde.
Ils sont sur le pont.
Mon chat ronronne fort.
Donne-lui le tire-bouchon.

Je vois un mouton sur la colline.
Tu as fini de boire ton biberon ?
Il recoud un bouton de son polo.
On a acheté un bocal de cornichons.

Ils vont à la fête comme tout le monde.

Ils vont à la fête comme tout le monde.

Particularité

une pompe - la tombola - tombé - une bombe - une colombe

Infos parents

Le groupe de deux lettres **on** s'écrit **om** avant les lettres **m, b, p** et se lit toujours « on ».
Si **on** est suivi d'un second **n**, on prononce les sons « o » et « n » séparément : *bo-nne, marro-nnier.*

g - g G

gâteau

ga	go	gu	gon	gou	go	goi	gun
ga	go	gu	gon	gou	go	goi	gun

un gag   une goutte   une rigole   un égout

la gare   la gamme   un ragoût   une galerie

le garde   une gomme   le regard   une garderie

la figure   une gondole   une virgule   un escargot

Je regarde la carte.   Il a avalé la fève de la galette !

As-tu goûté le sirop ?   Le goujon est un petit poisson.

Il a gardé sa veste.   La tarte est bonne : on se régale.

Le cheval galope.   La pomme de terre est un légume.

Elle a garé sa voiture à côté de la gare.

Elle a garé sa voiture à côté de la gare.

Révision

toi	cou	go	bon	ma	pi	dé	ru	goi	cho

Infos parents

Comme la lettre **c**, la lettre **g** sert à représenter deux sons. Il faut d'abord apprendre à lire les mots avec le son «g» de *gare* où le **g** est toujours suivi d'une des trois lettres : **a**, **o**, **u**.

Z - z z

zèbre

za	zi	zo	zon	zè	zu	zou	ze
za	zi	zo	zon	zè	zu	zou	ze

zéro	le gaz	un zoo	le gazon
onze	une zone	un zébu	un bazar
douze	un zigzag	un zeste	la gaze
bizarre	le zèle	un zouave	le gazole

On a vu une gazelle.
Tu as dit « zut » ?
Le zébu a une bosse.
Une année a douze mois.

Un lézard vert court sur le mur.
Elle est allée sur la Côte d'Azur.
Il a terminé onzième de l'étape.
La zibeline a une jolie fourrure.

Il a vu un objet bizarre sur le gazon.

Il a vu un objet bizarre sur le gazon.

Révision

gon	ba	zou	si	voi	ju	fé	do	zoi	ca

ez, er «é»

nez - rocher

chez	nez	vez	lez	mez	bez	rez	dez
chez	*nez*	*vez*	*lez*	*mez*	*bez*	*rez*	*dez*

le nez	a llez	jou er	le dî ner	fer mer
chez	sor tez	me ner	le sou per	cher cher
a ssez	res tez	do nner	un bou cher	di mi nu er
ti rez	ve nez	por ter	le pa pi er	un es ca li er

Je l'écou te par ler.	Ne par lez pas tous à la fois.
Allez vous ca cher !	On a vu une voi tu re s'a rrê ter.
Vou lez-vous jou er ?	Son pè re va le cher cher à la ga re.
Cou chez-vous et dor mez.	Il a de la con fi ture sur le bout du nez !

Samedi, elle ira dîner chez son amie.

Samedi, elle ira dîner chez son amie.

Exceptions

le fer - la mer - l'hiver - un ver - cher - amer - hier - super

Infos parents

er et **ez** se lisent «é» à la fin des mots, qui sont souvent des verbes.
Quelques mots simples terminés par **er** font exception et **er** se lit «è.r», comme dans *fer*.

35

les, des, mes, tes, ses

les chats

les chats	des chats	mes chats	tes chats	ses chats
les chats	*des chats*	*mes chats*	*tes chats*	*ses chats*

le renard – les renards
la fourmi – les fourmis
un mouton – des moutons
une vache – des vaches

mon pull – mes pulls
ma veste – mes vestes
ta voiture – tes voitures
son poisson – ses poissons

Je casse des noix.
Tu as mis tes bottes.
Il appelle les pompiers.
On a déjà fermé les volets.

Ils ont joué avec mes dominos.
Elle m'a donné tous ses jouets.
On a coupé les pommes de terre.
Achète des tomates ou des carottes.

Ses amis lui ont apporté des bonbons.

Ses amis lui ont apporté des bonbons.

Particularité

> un ours, des ours - une souris, des souris - la noix, les noix

Infos parents

Dans les petits mots *les, des, mes, tes, ses,* **es** se lit « é » et indique le pluriel. La lettre **s** qui se trouve à la fin du nom qui suit rappelle ce pluriel : elle est muette.

an, en - *an, en*

pantalon - content

man	pan	gan	ban	pen	den	ten	len
man	*pan*	*gan*	*ban*	*pen*	*den*	*ten*	*len*

dans	un chant	le vent	lent
sans	des gants	les dents	content
dimanche	un banc	le menton	enfiler
gourmand	un rang	un sentier	entasser

Je suis un enfant.	Il a mis son pantalon à l'envers.
Comment vas-tu ?	On a ri, on a chanté, on a dansé.
Il est encore en retard.	Un ouragan a arraché les tentes.
Elle porte un pendentif.	Il est dans la voiture de ses parents.

Maman a entendu ta chanson à la radio.

Maman a entendu ta chanson à la radio.

Particularité

un champ - un camp - un tambour - le temps - emmener - emporter

Infos parents

Les deux lettres qui forment **an** et **en** sont mariées pour représenter le même son.
La lettre n peut devenir **m** avant les lettres **m, b, p**. Le son « an » est alors écrit **am** ou **em**.

in - in

poussin

tin	pin	din	sin	rin	min	fin	lin
tin	pin	din	sin	rin	min	fin	lin

la fin   le matin   inviter   un sapin
enfin   un jardin   inventer   un insecte
le vin   un marin   inconnu   un câlin
un pin   un moulin   infirme   un bassin

Il n'a pas goûté le boudin.   On a vu un lapin sur le chemin.
Il n'est pas toujours malin !   Il va avoir des patins pour sa fête.
Valentin a un tambourin.   La voiture est tombée dans le ravin.
Elle partira de bon matin.   Les poussins se sont enfin endormis.

Il est interdit d'arracher les salades du jardin.

Il est interdit d'arracher les salades du jardin.

Particularité

impoli - important - une timbale - un chimpanzé - limpide

Infos parents

Les deux lettres qui forment **in** sont mariées pour représenter le son « in ». Comme dans **on**, **an** et **en**, la lettre **n** peut devenir **m** avant les lettres **m**, **b**, **p**. Le son « in » est alors écrit **im**.

C «s»

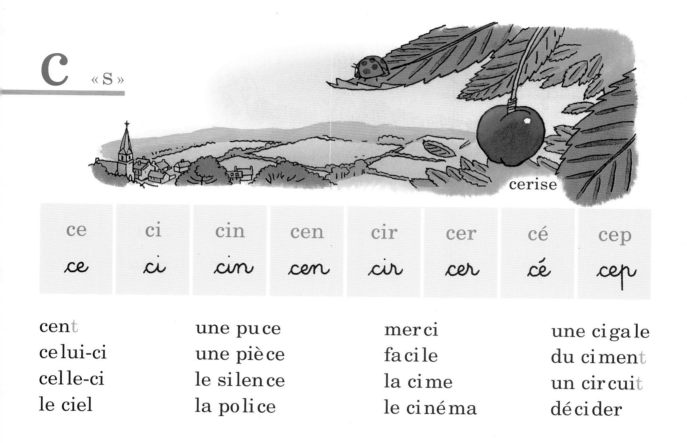

cerise

ce	ci	cin	cen	cir	cer	cé	cep
ce	ci	cin	cen	cir	cer	cé	cep

cent	une puce	merci	une cigale
celui-ci	une pièce	facile	du ciment
celle-ci	le silence	la cime	un circuit
le ciel	la police	le cinéma	décider

Ton chat a des puces !
C'est un animal féroce.
Maman berce son bébé.
Tu as réussi, je te félicite.

Ces sucettes sont un délice.
Lucile et Alice sont jumelles.
Merci d'avoir ciré mes bottines !
La tortue se cache dans sa carapace.

Cécile suce son pouce en s'endormant.

Cécile suce son pouce en s'endormant.

Révision

cen	can	cu	cui	ci	cin	co	coi	cou	cé

Infos parents

La lettre **c** peut représenter le son «s» (*puce, ci*néma). Elle est alors toujours suivie d'un **e** ou d'un **i**.
On lit donc le son «s» dans : cen, ceu, cei, cin…

Ç - ç   C

garçon

ça	ço	çu	çon	çoi	çan	çou	çoir
ça	ço	çu	çon	çoi	çan	çou	çoir

la leçon
le garçon
un maçon
une rançon

la façade
il rinça
il dénonça
elle avança

il reçoit
il aperçoit
nous lançons
nous rinçons

un reçu
une façon
menaçant
des soupçons

Je reçois un colis.
Il me lança la balle.
Avançons lentement.
La balançoire est réparée.

Comment ça va, ce matin ?
Il porte des caleçons en coton.
C'est un escalier en colimaçon.
Mon chat a aperçu une souris.

Le commerçant a reçu une commande de jouets.

Le commerçant a reçu une commande de jouets.

Révision

ca	ça	çon	con	can	çoi	ço	cu	co	çu

Infos parents

La cédille indique que la lettre **c** représente le son «s» : *garçon, reçu*. On rencontre **ç** seulement avant les lettres **a**, **o** ou **u**, donc avant ai, ou, on, an…

40

g «j»

girafe

ge	gi	gen	gin	gé	gea	ger	geo
ge	*gi*	*gen*	*gin*	*gé*	*gea*	*ger*	*geo*

une page   rugir   nager   le genou
un orage   un gilet   bouger   les gens
le cirage   un cageot   manger   un gendarme
une bougie   un pigeon   ranger   des nageoires

Ce garçon est gentil.   Il est agile comme un singe.
On a bu de l'orangeade.   C'est urgent ! C'est dommage !
Le lapin ne bougea pas.   Les bourgeons ont gelé cette année.
Ils ont encore déménagé.   Elle a rougi car elle a dit un mensonge.

Papa change la roue de la voiture dans le garage.

Papa change la roue de la voiture dans le garage.

Révision

ga	gou	gan	gel	gon	gen	goi	gin	geoi	geon

Infos parents

Quand la lettre **g** est suivie de **e** ou de **i**, elle représente le son «j» : *page*, *girafe*. On lit donc le son «j» dans **ge**, **gi**, mais aussi dans gen, geu, gei, gin, geon, gean…

S «z»

rose

asa	aso	asi	ase	asu	isa	osi	use
asa	*aso*	*asi*	*ase*	*asu*	*isa*	*osi*	*use*

un vase
une fusée
une cerise
le visage

une valise
une pelouse
une bêtise
un musée

une usine
une ardoise
un résumé
une chemise

le désert
choisir
s'amuser
un arrosoir

Tu as osé refuser ?
Il a fini son dessert.
Il refuse de dire une poésie.
Il s'est pesé, lavé, rasé, puis

Le poisson nage, le poison tue.
Un touriste s'est perdu dans le désert.
Elle a posé un vase sur la cheminée.
il a recousu un bouton de sa chemise.

Dans le magasin, ma cousine a choisi un pull rose.

Dans le magasin, ma cousine a choisi un pull rose.

Révision

asso   isa   ési   essu   ise   issu   osu   ossu   asé   osse

Infos parents

La lettre **s** peut représenter deux sons faciles à distinguer parce qu'on peut les prolonger : «s» de *sucre, poisson* (vu page 13) et «z» de *rose*. Entre deux voyelles, **s** représente toujours le son «z».

h - h   H

hibou

ha	ho	rhu	hon	hou	hu	hé	rha
ha	*ho*	*rhu*	*hon*	*hou*	*hu*	*hé*	*rha*

des habits
un hôtel
l'huile
un homme

un hôpital
une horloge
l'habitude
un habitant

un haricot
une harpe
un hamac
un hérisson

le thé
le thon
dehors
un rhume

Il habite une forêt hantée.
Le hanneton est un insecte.
Je vois un navire à l'horizon.
Le héron a un long bec. L'hirondelle vole vite.

Dehors, un loup hurle à la lune.
Son hélicoptère est dans le hangar.
La marmotte dort l'hiver : elle hiberne.
Le hibou chasse la nuit.

Le héros de l'histoire a disparu pendant huit jours.

Le héros de l'histoire a disparu pendant huit jours.

Révision

chu	rha	bo	hou	gin	coi	vez	thé	zon	dan

Infos parents

La lettre **h** ne représente pas de son : elle est muette et on fait la liaison avec la dernière lettre du mot précédent (*un habit*). Dans certains mots, **h** est aspiré : on ne fait pas de liaison (*un hibou*).

ai, ei - *ai, ei*

maison - neige

cai	rai	lai	mai	pei	nei	sei	rei
cai	*rai*	*lai*	*mai*	*pei*	*nei*	*sei*	*rei*

gai	une aile	un balai	la reine
épais	la haie	la laine	la peine
faire	une paire	une chaise	une veine
l'air	se taire	une caisse	une baleine

— Je vais faire les courses.
— Tu as ton porte-monnaie ?
— Oui, mais je n'ai pas d'argent.
— En voici. Achète du lait.

Ma cousine Lili a seize ans.
J'ai une veste beige en laine.
Il fait mauvais temps ce soir.
Le capitaine n'est jamais venu.

La mairie est la maison à côté de la fontaine.

La mairie est la maison à côté de la fontaine.

Révision

noi	bou	nai	fon	lei	pin	tai	fan	pei	bai

Infos parents

Les deux lettres qui forment **ai** et **ei** représentent le son « è ». Ce son peut aussi être représenté par **è** ou **ê** (appris page 12) ou par **e** suivi d'une consonne (appris pages 27 et 29).

au, eau - au, eau

jaune - chapeau

mau	vau	sau	gau	teau	peau	deau	ceau
mau	*vau*	*sau*	*gau*	*teau*	*peau*	*deau*	*ceau*

faux   une taupe   un bateau   la peau
chaud   une faute   un oiseau   un couteau
autour   un landau   un taureau   des poireaux
en haut   le chauffage   un chameau   des rideaux

Il aura un beau cadeau. | Enlève ton manteau, il fait chaud.
Il faut boire un verre d'eau. | Un corbeau est perché sur le poteau.
Le chat saute sur le bureau. | Bébé joue avec un seau et un râteau.
Il a vu un taureau sauvage. | Devant le château, tournez à gauche.

La fauvette, le moineau et le corbeau sont des oiseaux.

La fauvette, le moineau et le corbeau sont des oiseaux.

Révision

sai	sau	deau	dou	chai	gan	gai	cha	chau	rei

nfos parents

Dans **au**, les lettres **a** et **u** représentent le son « o ». Dans certains mots, un **e** est ajouté à **au** pour former **eau** et rappeler l'origine ou l'histoire du mot (chapeau → chapelier).

eu, œu - eu, œu

jeu - cœur

jeu	feu	reu	leu	sœu	bœu	vœu	nœu
jeu	feu	reu	leu	sœu	bœu	vœu	nœu

neuf	jeudi	peureux	un œuf	un danseur
seul	le feu	heureux	ma sœur	un vendeur
deux	je peux	les cheveux	un nœud	la hauteur
jeune	il peut	la couleur	un bœuf	la largeur

J'ai fait un vœu pour toi.
Jeudi, j'irai chez le coiffeur.
Il est revenu à neuf heures.
Le lapin a peur du chasseur.

Maman a fait cuire deux œufs.
Il vit heureux au milieu des bois.
Sa sœur est mariée à un pêcheur.
Elle porte un nœud dans les cheveux.

Je mange deux tartines de beurre à mon petit déjeuner.

Je mange deux tartines de beurre à mon petit déjeuner.

Révision

veu	ven	vei	noi	nou	nœu	pei	pen	peu	pou

Infos parents

eu et **œu** représentent le même son. Le participe passé du verbe *avoir* s'écrit **eu**, mais se prononce « u ». *Bœuf* et *œuf* changent de prononciation au pluriel : « dé beu, dé zeu ».

fr, vr, pr, tr
cr, br, dr, gr

fraise

fra	vri	proi	tro	cru	bré	dra	gre
fra	vri	proi	tro	cru	bré	dra	gre

Son frère
le froid
une gaufre

un crabe
un crapaud
du sucre

pauvre
la chèvre
un livre

une broche
une branche
un zèbre

propre
le prix
une prune

droit
drôle
un drapeau

un trou
une tranche
une entrée

grand
une grappe
du vinaigre

Mon frère a eu la grippe.
J'apprends à lire et à écrire.
On frappe à la porte : ouvre.

L'autruche pond de très gros œufs.
Le nombre treize est après douze.
L'orange, le citron sont des agrumes.

De tous les fruits, je préfère les fraises et les abricots.

De tous les fruits, je préfère les fraises et les abricots.

Révision

pou	pra	dro	dor	goi	gri	fui	frai	ton	tran

infos parents

Quand il suit une consonne, r rend la lecture plus difficile (*froid* est plus difficile que *fois*).
Un enfant doit donc s'entraîner à lire les syllabes (et les mots) qui ont cette particularité.

fl, pl, cl, bl, gl

fleur

clo	bla	pli	glou	flu	cle	plon	blé
clo	*bla*	*pli*	*glou*	*flu*	*cle*	*plon*	*blé*

une fleur	la pluie	une clé	bleu	la glace
un flacon	le plafond	un clou	agréable	glisser
une flamme	une plume	une boucle	un meuble	un ongle
un sifflet	une plante	mon oncle	un cartable	un aigle

J'ai un cartable tout neuf.   En classe, nous avons un tableau blanc.
Elle a perdu sa règle plate.   À la plage, elle fait un château de sable.
Il fait de la planche à voile.   Il souffle très fort pour gonfler sa bouée.
Pose le plateau sur la table.   Il va pleuvoir. N'oublie pas le parapluie.

Claire et Pauline ont une jolie blouse bleue.

Claire et Pauline ont une jolie blouse bleue.

Révision

ca	bi	cla	flou	poi	bli	ploi	gu	fou	glu

Infos parents

La difficulté de lecture des pages 47 et 48 correspond à une difficulté de prononciation. On aidera beaucoup l'enfant en veillant à ce qu'il articule bien les mots des exercices.

ent (pluriel des verbes)

ils jouent

La balle roule.   Le cheval galope.   La pie s'envole.
Les balles roulent.   Les chevaux galopent.   Les pies s'envolent.

Il chante.   Elle rêve.   Il arrive.   Elle tourne.
Ils chantent.   Elles rêvent.   Ils arrivent.   Elles tournent.

Deux renards s'approchent de la cage aux poules et bondissent.
Les pauvres bêtes s'affolent, crient et tombent de leur perchoir.
Elles courent dans tous les sens. Heureusement, Tom a entendu
le bruit. Il aboie très fort et se précipite vers la cage. Les renards
prennent peur et se sauvent à toute vitesse. Alors, les poules
montent à nouveau sur leur perchoir et se rendorment.

Les voitures s'arrêtent, puis elles démarrent au feu vert.

Les voitures s'arrêtent, puis elles démarrent au feu vert.

Attention aux **ent** qui se lisent « an » !

un moment - le présent - souvent - comment - être content - urgent

Infos parents

Certaines lettres à la fin des mots indiquent l'idée de pluriel : **s** (ou **x**) pour les noms et les adjectifs,
nt pour les verbes à la 3ᵉ personne. Ces lettres ne se prononcent pas.

qu - qu Q

masque

que	qui	quen	quin	quel	quoi	queu	quan
que	qui	quen	quin	quel	quoi	queu	quan

quatre
quatorze
quarante
le quai

un requin
quitter
en plastique
l'équilibre

la musique
le cirque
magique
une barque

une casquette
une étiquette
des briques
une clinique

Que remarques-tu ?
Pour qui est ce bouquet ?
J'ai reçu ton paquet hier.
Où as-tu pique-niqué ?

Quelle est la marque de sa raquette ?
Les quinze joueurs de l'équipe sont prêts.
Elle nous taquine, elle se moque de nous.
Je l'ai vu dans une boutique du quartier.

Papa passera à la banque avant qu'elle ferme.

Papa passera à la banque avant qu'elle ferme.

Révision

boi	qui	don	pui	gan	feu	zou	tin	chau	quel

Infos parents

Sauf dans *coq* et *cinq*, la lettre **q** est toujours mariée à un **u** pour représenter le son « k ».
On trouve **qu** avant e et i, parfois avant **a**, comme dans *quatre*.

gu - gu

= guitare

gui	gue	gueu	guin	guen	guette	gué	guer
gui	gue	gueu	guin	guen	guette	gué	guer

une guêpe   une bague   fatigué   la langue
un guidon   des vagues   déguisé   une mangue
une guenon   des figues   naviguer   un collègue
un guépard   une guirlande   conjuguer   une meringue

Il zigzague sur la piste.   Le coiffeur a fait aiguiser ses ciseaux.
La guerre est terminée.   Achète un paquet de figues sèches.
Il navigue seul sur le canal.   Je t'offre un bouquet de marguerites.
Cette planche est rugueuse.   Il coupe de longues baguettes de bois.

Le guépard s'est caché pour guetter les gazelles.

Le guépard s'est caché pour guetter les gazelles.

Infos parents

Les lettres **g** et **u** sont mariées pour représenter le son « g ». On trouve donc **gu** avant les lettres **e** et **i** car **g** seul se lirait dans ce cas « j » (vu page 41).

gn - gn

champignon

gna	gno	gne	gnu	gné	gnon	gnan	gnai
gna	*gno*	*gne*	*gnu*	*gné*	*gnon*	*gnan*	*gnai*

une ligne
un signe
un peigne
la vigne

un agneau
une araignée
la montagne
la campagne

un signal
un oignon
une poignée
une cigogne

s'éloigner
grogner
souligner
accompagner

On a cogné à la porte.
Ce bébé est très mignon.
Il faut que tu signes la lettre.
Il s'est égratigné les genoux.

Il a ramassé des champignons.
Je me suis baigné dans la rivière.
Elle chantait comme un rossignol.
Maman l'a soigné car il saignait.

Il a franchi la ligne d'arrivée en tête : il a gagné !

Il a franchi la ligne d'arrivée en tête : il a gagné !

Révision

gin	gne	ge	gan	gui	gna	gra	geon	gon	gué

Infos parents

Les lettres **g** et **n** sont mariées pour représenter le son « gn ». Dans l'ordre inverse et avec **i**, on a **ing** que l'on trouve à la fin de mots d'origine anglaise : *camping, parking…*

ph - ph

éléphant

pho	phi	phan	phon	phin	phé	phil	phe
pho	phi	phan	phon	phin	phé	phil	phe

Philippe	un phare	le téléphone	l'alphabet
Sophie	un phoque	un dauphin	l'orthographe
Delphine	une photo	un éléphant	la pharmacie
Théophile	une phrase	un siphon	un saphir

Le phacochère est une sorte de sanglier d'Afrique.
La baleine, le dauphin et le phoque sont des mammifères.
Pour l'anniversaire de Sophie, un photographe a pris des photos.
À la pharmacie, Maman a demandé un produit contre les aphtes.

Je connais toutes les lettres de l'alphabet.

Je connais toutes les lettres de l'alphabet.

Révision

pla	pha	bla	pra	phin	prin	quin	droi	phoi	ploi

Infos parents

Les lettres **p** et **h** sont mariées pour représenter le son «f». **Ph** est utilisé à la place de **f** dans certains mots, pour rappeler leur origine grecque ou leur histoire.

oin - oin

loin

moin	soin	foin	coin	join	goin	poin	loin
moin	soin	foin	coin	join	goin	poin	loin

le moins	au loin	pointu	un coin de rue
à point	une pointe	rejoindre	le groin du porc
les soins	un témoin	un goinfre	un coup de poing
le foin	le besoin	le conjoint	de la pâte de coing

Il fait moins froid ce matin. | Maman a acheté de la gelée de coing.
Il nous a rejoints à la gare. | Il mange trop vite : c'est un goinfre !
Il prend soin de ses affaires. | Le mari s'appelle aussi le conjoint.
Il a été témoin de l'accident : il a tout vu. On a besoin de lui.

On n'habite pas loin, juste après le rond-point.

On n'habite pas loin, juste après le rond-point.

Révision

pon	poin	vin	foi	bou	goin	mau	gna	phan	nœu

Infos parents

Dans **oin**, on lit deux sons. Le second a déjà été appris : c'est **in**. Le premier, marqué par un **o**, représente le son qui fait la différence, par exemple, entre *fin* et *foin*.

ion - ion

lion

sion	pion	gion	mion	lion	nion	tion	vion
sion	pion	gion	mion	lion	nion	tion	vion

un avion   une réunion   la solution   la population
un camion   une révision   une addition   une habitation
un scorpion   une émission   la dentition   l'alimentation
une question   une occasion   une collection   une inondation

Les piétons doivent faire attention en traversant la rue.
Pendant la réunion, chaque personne a donné son opinion.
L'addition, la soustraction et la multiplication sont des opérations.
J'ai reçu une invitation pour aller voir des collections de timbres.

J'aimerais assister à une émission de télévision.

J'aimerais assister à une émission de télévision.

Révision

tion	moin	bio	gon	poi	zion	phé	tian	din	coin

Infos parents

Dans **ion**, on lit deux sons : « i.on ». **tion** correspond en général au son « sion » de *solution*.
Exceptions : *question, digestion* et les autres mots terminés par **stion**.

ien - ien

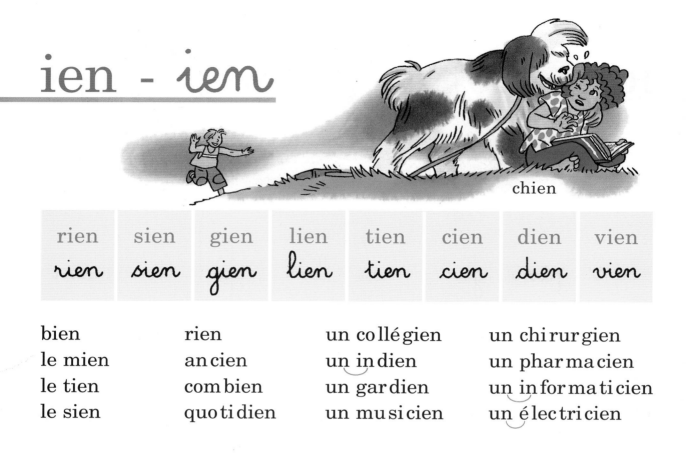

chien

rien	sien	gien	lien	tien	cien	dien	vien
rien	sien	gien	lien	tien	cien	dien	vien

bien — rien — un collégien — un chirurgien
le mien — ancien — un indien — un pharmacien
le tien — combien — un gardien — un informaticien
le sien — quotidien — un musicien — un électricien

Fabien est gardien de but. | Les Italiens ont battu les Brésiliens.
C'est le mien, pas le tien. | Son chien revient dès qu'on l'appelle.
Ta lettre est bien arrivée. | Le chapeau du magicien semblait vide.
Qui entretient la machine? | Le mécanicien répare un ancien moteur.

Julien ira chez l'opticien pour choisir des lunettes.

Julien ira chez l'opticien pour choisir des lunettes.

Attention aux **ient** qui se lisent « ian » !

patient - un client - le quotient - un récipient - un inconvénient

Infos parents

Dans **ien**, les deux lettres **en** représentent en général le son « in ». Quelques noms et adjectifs sont terminés par **ient** et se lisent « ian ».

ain, ein - *ain, ein*

train - peintre

gain	vain	main	lain	pein	tein	rein	fein
gain	*vain*	*main*	*lain*	*pein*	*tein*	*rein*	*fein*

du pain	demain	plein	les freins
un bain	des grains	peindre	les reins
la main	un terrain	éteindre	la peinture
un train	un refrain	atteindre	une ceinture

Soudain, il a levé la main.	Romain a beaucoup de copains.
Il craint le froid et la neige.	Il boucle sa ceinture et démarre.
On reviendra demain matin.	Des peintres ont repeint les volets.
Une haie entoure le terrain.	Son vélo a de bons freins, maintenant.

Le peintre tient sa palette de la main gauche.

Le peintre tient sa palette de la main gauche.

Infos parents

Les groupes de lettres **ain** et **ein** se lisent « in ». Les lettres **a** et **e** placées avant **in** rappellent des mots de la même famille : *bain, baigner, balnéaire ; main, manuel.*

57

y «i» - y   Y

pyjama

cy	ly	ny	ry	sy	gy	ty	ney
cy	*ly*	*ny*	*ry*	*sy*	*gy*	*ty*	*ney*

un stylo   un pyjama   un cycliste   la gymnastique
un lycée   un mystère   un yaourt   une bicyclette
un jury   une syllabe   une hyène   un hymne
un poney   le nylon   le tympan   le rythme

Sylvie fait du yoga.   On lui a fait une analyse de sang.
Cyril est sympathique.   Papy a vu les pyramides d'Égypte.
Le python est un serpent.   Les hydravions se posent sur l'eau.
Un cyclone a tout dévasté.   Il est champion olympique de cyclisme.

La lyre et la cymbale sont des instruments de musique.

La lyre et la cymbale sont des instruments de musique.

Révision

pli	brai	croi	sym	phil	cer	gau	tour	lyn	san

Infos parents

Dans certains mots, la lettre **y** est utilisée à la place de la lettre **i**, surtout pour rappeler l'origine grecque du mot. Cette lettre se lit alors comme s'il s'agissait d'un **i**.

y «ii»

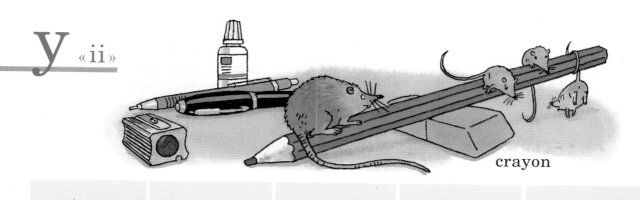

crayon

oyé (oi-ié)	ayu (ai-iu)	uya (ui-ia)	uyer (ui-ié)	oyeu (oi-ieu)
oyé	*ayu*	*uya*	*uyer*	*oyeu*

joyeux	a boyer	un rayon	bruyant
un voyage	envoyer	un pays	essuyer
une voyelle	un voyageur	un paysan	appuyer
un noyau	le nettoyage	essayer	un tuyau

Le zèbre a des rayures. | Les voyageurs aiment ce paysage.
Le tuyau est encore percé. | Elle doit payer son loyer chaque mois.
J'ai des crayons de couleurs. | Ils ont installé un broyeur sous l'évier.
Sa sœur est au cours moyen. | Elle a acheté la robe au rayon layette.

Maman a essuyé les verres et j'ai balayé la cuisine.

Maman a essuyé les verres et j'ai balayé la cuisine.

Attention aux **y** qui se lisent différemment !

| cycl | rayé | sty | puyon | nyl | ryt | toyai | lym | suyé | loya |

Infos parents

La lettre **y** remplace parfois deux **i**. On le vérifie en prononçant le mot en syllabes :
joyeux → « joi-ieu » ; *paysan* → « pai-i-zan ». Les mots qui ont un **y** sont difficiles à lire.

ill - ill

papillon

till	nill	bill	grill	dill	quill	pill	rill
till	nill	bill	grill	dill	quill	pill	rill

une fille
une bille
la vanille
une chenille

gentille
la famille
la cheville
une myrtille

briller
griller
habiller
une béquille

un grillage
un tourbillon
un coquillage
un échantillon

J'aime la crème chantilly.
As-tu déjà joué aux quilles ?
L'anguille est un poisson.
Le gorille est un grand singe.

On a mangé des lentilles en salade.
Il suce des pastilles contre la toux.
J'ai envoyé une jolie carte à Camille.
Une fois habillée, on l'a maquillée.

Le chien a mordillé les espadrilles neuves de maman.

Le chien a mordillé les espadrilles neuves de maman.

Exceptions

mille - un million - un milliard - une ville - un village - tranquille

Infos parents

Dans la plupart des mots qui ont le groupe de lettres **ill**, on prononce comme dans *papillon*, sauf pour quelques mots fréquents comme *mille*, *ville*, *tranquille*.

aill, eill, euill, ouill

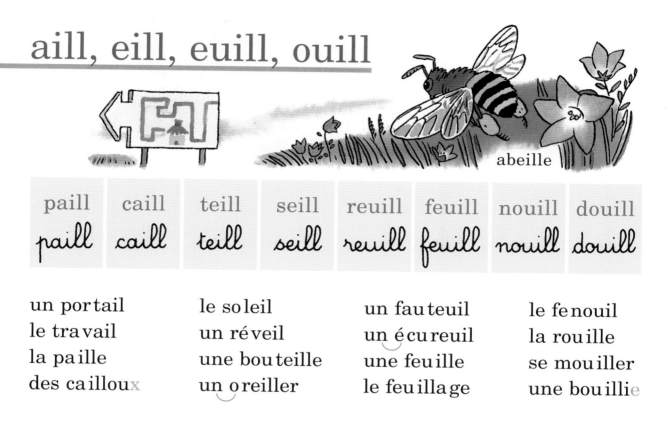

abeille

paill	caill	teill	seill	reuill	feuill	nouill	douill
paill	*caill*	*teill*	*seill*	*reuill*	*feuill*	*nouill*	*douill*

un portail
le travail
la paille
des cailloux

le soleil
un réveil
une bouteille
un oreiller

un fauteuil
un écureuil
une feuille
le feuillage

le fenouil
la rouille
se mouiller
une bouillie

Mireille a eu les oreillons.
On se débrouillera seuls.
Papa travaille tard le soir.
Elle a gagné une médaille.

L'épouvantail a fait peur aux oiseaux.
Enlève la rouille et repeins le portail.
Surveille bébé et donne-lui sa bouillie.
Il s'est barbouillé de gelée de groseille.

Le jardinier a coupé les broussailles et taillé la haie.

Le jardinier a coupé les broussailles et taillé la haie.

Révision

pill	baill	vien	teuil	join	rouil	vion	teill	gain	veau

Infos parents

On peut avoir **euill** avec **eu** écrit **ue** (comme dans *cueillir, orgueil*), à cause des lettres **c** et **g**.
À la fin des mots masculins, on trouve **ail, eil, euil, ouil**, avec un seul **l**.

k - *k* K

ch «k»

kangourou

ka	ker	kio	kim	chro	chry	chri	chré
ka	*ker*	*kio*	*kim*	*chro*	*chry*	*chri*	*chré*

un képi   le moka   kaki   la chorale
un koala   le ski   un bifteck   le chœur
un kimono   un kilomètre   un kiosque   un orchestre
le karaté   un kilogramme   une kermesse une chronique

Christophe ira faire du ski. | Le chrysanthème est une fleur.
La chorale a été applaudie. | Il entoure le paquet de papier kraft.
Paul est kinésithérapeute. | Un papillon est sorti de sa chrysalide.
Le kouglof est un gâteau. | Il mange son bifteck avec du ketchup.

On l'a chronométré sur trois kilomètres.

On l'a chronométré sur trois kilomètres.

Révision

| paill | ayo | chro | chou | feuill | nill | phie | goin | pian | pyr |

Infos parents

On trouve **k** dans des mots d'origine étrangère comme *ketchup*. Quand **ch** est suivi de **r** ou **l**, il est en principe prononcé «k». Ce groupe **ch** se lit «k» dans des mots d'origine grecque.

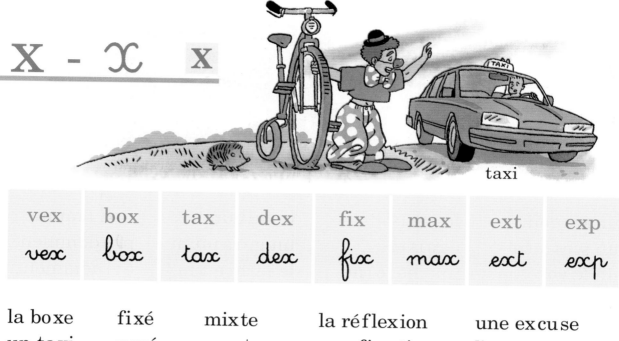

X - x   x

taxi

vex	box	tax	dex	fix	max	ext	exp
vex	*box*	*tax*	*dex*	*fix*	*max*	*ext*	*exp*

la boxe	fixé	mixte	la réflexion	une excuse
un taxi	vexé	une taxe	une fixation	l'extérieur
l'index	le luxe	un silex	klaxonner	une explication
un texte	exprès	extra	un saxophone	une exposition

un exercice	exotique	un examen	exagérer
un exemple	exiger	exactement	exister

Je ne l'ai pas fait exprès. | Il se gratte l'oreille avec l'index.
On s'exerce pour le concours. | Le taxi a fait un excès de vitesse.
Je crois que tu as exagéré ! | Roxane habite une maison luxueuse.
Le médecin l'a examiné et il enverra les résultats par fax.
Félix conduit un camion qui transporte des produits toxiques.

Un bon conducteur doit avoir de bons réflexes.

Un bon conducteur doit avoir de bons réflexes.

W - w w

ï, um, e «a»

kiwi

un wagon	le maïs	un album	une femme
un western	égoïste	un géranium	prudemment
un kiwi	une héroïne	le minimum	évidemment
le water-polo	une mosaïque	le maximum	fréquemment

Il est monté dans le wagon.

J'ai vu son album de photos.

C'est un bouquet de glaïeuls.

Elle attendait patiemment.

Il conduit très prudemment.

Le caïman est une sorte de crocodile.

Tu es naïf : tu crois tout ce qu'on te dit !

Il a un aquarium de poissons exotiques.

On a regardé un western à la télévision.

Les géraniums du balcon sont en fleurs.

Ces assiettes blanches ne sont pas en porcelaine, mais en faïence.

Sa femme conduisait vite : sa voiture a violemment heurté le trottoir.

Le wapiti est un grand cerf d'Amérique du Nord.

Le wapiti est un grand cerf d'Amérique du Nord.

Infos parents

La lettre **w** se lit comme une sorte de son «ou» soufflé, suivi d'une voyelle. Elle est parfois lue «v» (*wagon*). Le **ï** (i tréma) indique que deux voyelles se lisent séparément (*ma.ïs*). Les lettres **um** se lisent «om», mais seulement en fin de mot (sauf *parfum*). Quant au groupe de lettres **emm,** il se lit «amm» dans *femme* et les adverbes.

Histoires à lire

Le petit chien et les chatons

Le jeune Miraut vint flairer les petits chats.
Il se coucha sans hésiter à côté d'eux et s'endormit.

La maman chatte s'était levée sur ses quatre pattes,
curieuse de ce nouvel arrivant
qu'elle ne connaissait point encore.
Le cou tendu, les yeux ronds,
elle avait suivi avec un immense intérêt
ses évolutions dans la pièce.

Légère, elle sauta de son canapé
et s'approcha des trois bêtes dormant en tas.
La langue râpeuse lécha tour à tour
Mitis et Moute, ses enfants,
puis à deux ou trois reprises,
après l'avoir bien flairé, elle lécha de même
les poils du crâne du jeune toutou.
Il ne se réveilla pas pour autant et continua
de reposer en paix entre ses deux frères adoptifs.

D'après LOUIS PERGAUD, *Le roman de Miraut.*

À quatre ans

Lorsqu'elle allait au marché, ma mère me laissait dans la classe de mon père, qui apprenait à lire à des gamins de six ou sept ans. Je restais assis, bien sage, au premier rang. Un beau matin, elle me déposa à ma place, et sortit pendant que mon père écrivait sur le tableau : «La maman a puni son petit garçon qui n'était pas sage.»

Tandis qu'il écrivait le point final, je criai :

«Non! Ce n'est pas vrai!»

Mon père se retourna soudain, me regarda stupéfait, et s'écria :

«Qu'est-ce que tu dis?

– Maman ne m'a pas puni! Tu n'as pas bien écrit!»

Il s'avança vers moi :

«Qui t'a dit qu'on t'avait puni?

– C'est écrit.»

La surprise lui coupa la parole un moment.

«Voyons, voyons, dit-il enfin, est-ce que tu sais lire?

– Oui.»

Alors, il alla prendre un livre et je lus sans difficulté plusieurs pages… Je crois que mon père eut ce jour-là la plus grande joie, la plus grande fierté de sa vie.

D'après MARCEL PAGNOL,
La gloire de mon père,
Pastorelly.

67

À l'école

Les bêtes se placèrent derrière les fillettes.
Lorsque la maîtresse eut frappé dans ses mains,
les nouveaux écoliers entrèrent en classe sans faire
de bruit et sans se bousculer. Tandis que le chien,
le sanglier et le cochon s'asseyaient parmi
les fillettes, la petite poule blanche se perchait
sur le dossier d'un banc et le cheval, trop grand
pour s'attabler, restait debout au fond de la classe.

La maîtresse parla d'un roi très cruel qui avait
l'habitude d'enfermer ses ennemis dans des cages de fer.

— Heureusement, dit-elle, les temps ont changé
et à notre époque, il ne peut plus être question
d'enfermer quelqu'un dans une cage.

— On voit bien, dit la petite poule blanche,
que vous n'êtes pas au courant de ce qui se passe
dans le pays. J'ai vu bien souvent des malheureuses
poules enfermées dans des cages et
c'est une habitude qui n'est pas près de finir.

— C'est incroyable! s'écria le sanglier.

La maîtresse était devenue très rouge, car elle
pensait aux deux poulets qu'elle tenait prisonniers
dans une cage pour les engraisser. Elle se promit
de leur rendre la liberté après la classe.

D'après MARCEL AYMÉ,
Les contes rouges du chat perché.

68

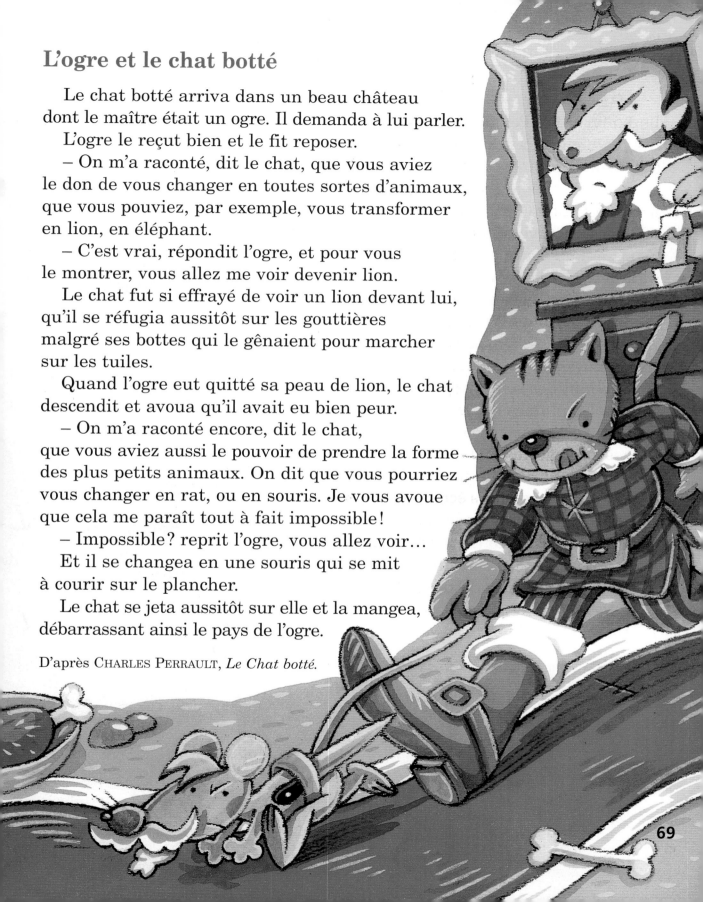

L'ogre et le chat botté

Le chat botté arriva dans un beau château dont le maître était un ogre. Il demanda à lui parler.

L'ogre le reçut bien et le fit reposer.

– On m'a raconté, dit le chat, que vous aviez le don de vous changer en toutes sortes d'animaux, que vous pouviez, par exemple, vous transformer en lion, en éléphant.

– C'est vrai, répondit l'ogre, et pour vous le montrer, vous allez me voir devenir lion.

Le chat fut si effrayé de voir un lion devant lui, qu'il se réfugia aussitôt sur les gouttières malgré ses bottes qui le gênaient pour marcher sur les tuiles.

Quand l'ogre eut quitté sa peau de lion, le chat descendit et avoua qu'il avait eu bien peur.

– On m'a raconté encore, dit le chat, que vous aviez aussi le pouvoir de prendre la forme des plus petits animaux. On dit que vous pourriez vous changer en rat, ou en souris. Je vous avoue que cela me paraît tout à fait impossible !

– Impossible ? reprit l'ogre, vous allez voir…

Et il se changea en une souris qui se mit à courir sur le plancher.

Le chat se jeta aussitôt sur elle et la mangea, débarrassant ainsi le pays de l'ogre.

D'après CHARLES PERRAULT, *Le Chat botté.*

Icare, l'homme-oiseau

Icare et son père sont prisonniers dans
le Labyrinthe. Pendant des jours et des jours,
ils marchent. Partout les mêmes murs, partout
les mêmes portes. C'est un vrai cauchemar !

Soudain, Dédale dit à son fils :

– Regarde là-bas ! C'est le jour !

Ils courent vers la lumière avec des cris de joie.
Mais le Labyrinthe se termine par une falaise
qui plonge dans la mer ! Impossible de s'évader…

De grands oiseaux s'envolent. Dédale tend la main
vers une plume blanche qui tombe d'une aile.

– Le seul chemin pour s'évader, dit-il, c'est le ciel !
Nous aussi, nous volerons. Mais il nous faut des ailes.

Pendant des semaines, Icare et son père amassent
toutes les plumes qu'ils peuvent trouver. Puis Dédale
se met au travail. Il coud les longues plumes
sur des baguettes de bois souple. Avec de la cire,
il colle les petites plumes une à une.

Un jour, les ailes immenses sont prêtes… Enfin,
Dédale et son fils s'élancent. Avec leurs ailes,
ils courent jusqu'au bord de la falaise. En bas,
la mer gronde en s'écrasant contre les rochers.

Dédale et Icare regardent l'horizon.
Un dernier pas et ils se jettent dans le ciel…

Ils planent. Ils ont réussi. Ils sont libres.

D'après la légende grecque, *Icare, l'homme-oiseau*,
collection «Ratus Poche», Hatier.

70

La chèvre savante

La bohémienne s'arrêta de danser et le peuple l'applaudit avec amour.

– Djali, dit-elle.

Alors Gringoire vit arriver une jolie petite chèvre blanche, alerte, éveillée, lustrée, avec des cornes dorées, avec des pieds dorés, avec un collier doré, qu'il n'avait pas encore aperçue, et qui était restée jusque-là accroupie sur un coin du tapis à regarder danser sa maîtresse.

– Djali, dit la danseuse, à votre tour.

Et s'asseyant, elle présenta à la chèvre son tambourin.

– Djali, continua-t-elle, à quel mois de l'année sommes-nous ?

La chèvre leva son pied de devant et frappa un coup sur le tambourin. On était en effet au premier mois. La foule applaudit.

– Djali, reprit la jeune fille en tournant son tambourin de l'autre côté, à quel jour du mois sommes-nous ?

Djali leva son petit pied d'or et frappa six coups sur le tambourin.

– Djali, poursuivit la bohémienne toujours avec un nouveau manège du tambourin, à quelle heure du jour sommes-nous ?

Djali frappa sept coups. Au même moment, l'horloge de la Maison-aux-Piliers sonna sept heures.

Le peuple était émerveillé. Les applaudissements éclatèrent.

D'après VICTOR HUGO,
Notre-Dame de Paris.

71

Le chien de la concierge

Un bonhomme de neige était né au moment de Noël, dans une cour où vivait le chien de la concierge.

– J'ai connu une période où je n'étais pas attaché dans le froid, dit le chien en faisant du bruit avec sa chaîne. J'ai vécu dans la maison. La nourriture était bonne. Et, bien sûr, il y avait la chaudière. Je dormais sous elle en hiver. C'était le meilleur moment de l'année…

– Qu'est-ce qu'une chaudière ? demanda le bonhomme de neige.

– C'est la chose la plus belle de la maison, fit le chien. Elle est noire comme un corbeau, elle a un long nez et quatre pattes. Elle mange du bois et le feu sort de sa bouche, mais il n'y a pas de quoi avoir peur si l'on reste à côté ou si l'on se met dessous.

– Mais pourquoi l'as-tu quittée ? demanda le bonhomme de neige.

– Pour une bêtise, grogna le chien : un matin, le plus jeune neveu de la concierge a essayé de prendre mon os : c'est une chose que je ne supporte pas. J'ai cherché à mordre un bout de sa jambe, juste un petit morceau, bien sûr. Mais la concierge s'est mise en colère : elle m'a amené ici et m'a attaché. J'étais jeune alors, bien des années sont passées depuis, mais les hommes ont la mémoire tenace !

D'après un conte d'ANDERSEN.

Renart et la mésange

Renart n'a pas mangé depuis deux jours. Son estomac crie la faim. Il aperçoit une mésange occupée à faire son nid sur la branche d'un chêne.

— C'est un plaisir de vous voir, dit-il. Descendez de votre branche et embrassons-nous comme deux amis.

La mésange n'est pas sotte. Elle lui fait :

— Tout beau, Renart ! Je vous connais ! Vous avez mangé la famille de ma tante, ma cousine la poule, sans compter les lapins des environs.

— En ce temps-là, dit le goupil, j'avais faim. Mais aujourd'hui, tout est changé. Messire Noble le lion a proclamé la paix. Si vous voulez, je vous embrasserai les yeux fermés. Vous verrez que je ne mens pas.

— Par ma foi, j'accepte, dit la mésange. Fermez les yeux et je descends de ma branche.

Renart ferme les yeux. La mésange prend un paquet de mousse au fond de son nid et s'approche du goupil. L'embrasser ? Non, elle n'est pas folle ! Elle lui frotte les moustaches avec ce qu'elle tient dans ses pattes. Renart croit que c'est l'oiseau. D'un coup de crocs, il essaie de l'attraper. Mais rien ! Juste un peu de mousse qui reste accrochée à ses moustaches.

La mésange est déjà remontée sur sa branche et rit de bon cœur.

D'après *Le roman de Renart.*

Le mouton du petit prince

Dessine-moi un mouton.

Alors j'ai dessiné.

Il regarda attentivement, puis :

– Non! Celui-là est déjà très malade.
Fais-en un autre.

Je dessinai :

Mon ami sourit gentiment, avec indulgence :

– Tu vois bien… ce n'est pas un mouton,
c'est un bélier. Il a des cornes…

Je refis donc encore mon dessin.

Mais il fut refusé, comme les précédents :

– Celui-là est trop vieux. Je veux un mouton
qui vive longtemps.

Alors, faute de patience, comme j'avais hâte
de commencer le démontage de mon moteur,
je griffonnai ce dessin-ci.

Et je lançai :

– Ça c'est la caisse. Le mouton que tu veux
est dedans.

Mais je fus bien surpris de voir s'illuminer
le visage de mon jeune juge :

– C'est tout à fait comme ça que je le voulais!
Crois-tu qu'il faille beaucoup d'herbe à ce mouton?

– Pourquoi?

– Parce que chez moi c'est tout petit…

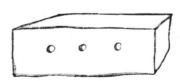

– Ça suffira sûrement. Je t'ai donné un tout
petit mouton.

Il pencha la tête vers le dessin :

– Pas si petit que ça… Tiens! Il s'est endormi…

Et c'est ainsi que je fis la connaissance
du petit prince.

SAINT-EXUPÉRY, *Le Petit Prince,* collection « Folio Junior », © Editions GALLIMARD.

Pantagruel, le bébé géant

Pantagruel était un bébé si grand, si fort, si vigoureux, qu'on le mit dans un berceau très solide, et on l'attacha avec quatre énormes chaînes pour qu'il ne fasse pas de dégâts.

Un jour, le géant Gargantua, son père, donna une grande fête et offrit un banquet à tous les princes de sa cour. Personne ne se soucia de Pantagruel, qui était à l'écart dans son berceau, attaché par ses chaînes.

Voyant que l'on mangeait sans lui, Pantagruel trépigna tant des pieds qu'il brisa le bout de son berceau, qui était pourtant fait de poutres de bois. Il glissa ses pieds dehors, se leva et marcha, emportant son berceau sur son dos, comme ferait une tortue debout sur ses pattes arrière.

C'est ainsi que le bébé géant entra dans la salle du banquet ! Mais comme il avait les bras attachés par les chaînes, il ne pouvait rien prendre à manger, tout juste lécher des plats du bout de la langue en se penchant bien.

Quand son père Gargantua le vit, il se mit en colère et dit qu'on laissait son fils mourir de faim. Il ordonna qu'on libère Pantagruel. On le fit asseoir et il mangea tant, il but tant, qu'il brisa son berceau d'un coup de poing et le mit en plus de cinq cent mille morceaux, en jurant qu'il n'y retournerait jamais.

D'après RABELAIS,
Pantagruel.

Alphabet

a	A	*a*	*A*
b	B	*b*	*B*
c	C	*c*	*C*
d	D	*d*	*D*
e	E	*e*	*E*
f	F	*f*	*F*
g	G	*g*	*G*
h	H	*h*	*H*
i	I	*i*	*I*
j	J	*j*	*J*
k	K	*k*	*K*
l	L	*l*	*L*
m	M	*m*	*M*
n	N	*n*	*N*

o	O	*o*	*O*
p	P	*p*	*P*
q	Q	*q*	*Q*
r	R	*r*	*R*
s	S	*s*	*S*
t	T	*t*	*T*
u	U	*u*	*U*
v	V	*v*	*V*
w	W	*w*	*W*
x	X	*x*	*H*
y	Y	*y*	*Y*
z	Z	*z*	*Z*

Table des matières

RATUS POCHE

La collection des romans qu'on dévore !

Des séries pour tous les goûts, des histoires pour tous les âges, avec des questions-dessins et un petit lexique en fin d'ouvrage pour bien comprendre et bien lire.

Plus de 130 titres !

Ralette la super-chipie !
Jeanne et Jean Guion
Illustration Luc Coloson

Les fantômes de Mamie Ratus
Jeanne et Jean Guion · illustration

Le drôle de cadeau de Super-Mamie
Jeanne et Jean Guion
Illustration
Jean-Christophe Raufflet

Les imbattables
Le chien de Quentin
Olivier Daniel · Illustration Pascal Gauffre

Mistouflette et la plante mystérieuse
Giorda · Illustration Anne Teuf

Ratus en ballon
Jeanne et Jean Guion
Illustration Olivier Vogel

Bonjour, madame fantôme !
Évelyne Reberg · Illustration Walestere

La malédiction de Toutankhamon
Hélène Kérillis · Illustration P.-E. Dequest

Francette top secrète
Mystère à l'école
Catherine Kalengula
Isabelle Maroger

Les vacances de Clara
Olivier Daniel
Illustration
François Foyard

La classe de 6e contre les troisièmes
Hélène Kérillis
Illustration
François San Millan

6·7 ans
Lecteurs débutants

7·9 ans
Bons lecteurs

9·12 ans
Grands lecteurs

Achevé d'imprimer par Macrolibros à Valladolid - Espagne
Dépôt légal n° 88395 - mai 2007